El VALLE de los HUESOS SECOS

YIYE AVILA

Publicado por
Editorial **Unilit**
Miami, Fl. U.S.A

Primera edición 1996

Cubierta diseñada por: Alicia Mejías

Producto 550040
ISBN 0-7899-0072-6
Impreso en Colombia
Printed in Colombia

Contenido

INTRODUCCIÓN

Mensaje profético predicado por el hermano Yiye Avila en la ciudad de New York. Se predicó el último día de campaña y alrededor de 900 almas vinieron a los pies del Señor. Este, es un mensaje de los últimos días, con profecía sobrenatural para probar que Cristo está a punto de retornar a la tierra.

Esta visión identifica al pueblo de Israel en el exilio con un gran número de huesos secos en un valle. La imagen presentada en la visión describe el desánimo y la frustración del pueblo. Además, la visión profética muestra muy claramente, tanto la restauración nacional de Israel, como su restauración espiritual. En el aspecto nacional, o sea como pueblo, Israel se puso sobre sus pies el 14 de mayo de 1948, cuando fue declarado República Independiente por la Organización de las Naciones Unidas. Ahora, espiritualmente, Israel aún sigue abatido. La Palabra de Dios, con relación al Nuevo Testamento está muerta en sus corazones. Para ellos, el Mesías, aún no ha *llegado.*

> *Profeticé, pues, como me fue mandado; "... y hubo un ruido mientras yo profetizaba, y he aquí un temblor; y los huesos se juntaron cada hueso con su hueso.*
>
> Ezequiel 37:7

Todo el mundo conoce y habla del pueblo de Israel, pero no hay espíritu de vida en él. Israel está muerto espiritualmente. Es como un centro de atracción. La mirada del mundo se centra en este pequeño país, que Dios colocó en el centro de las naciones del mundo.

Veremos a través de este libro el tema de la restauración de Israel, tanto en el aspecto físico, como en el aspecto espiritual y una analogía con la Iglesia de Jesucristo de nuestros días. Dios tiene el interés y el poder para cambiar al ser humano, darle una nueva vida. Aun en situaciones conflictivas puede restaurar la vida del hombre y de todo un pueblo.

De modo que si alguno está en Cristo, nueva criatura es; las cosas viejas pasaron; he aquí todas son hechas nuevas.

2 Corintios 5:17

A través del Espíritu Santo, Dios se manifiesta como la fuente de aliento y seguridad, el Refugio Eterno.

Tú eres mi refugio; me guardarás de la angustia; con cánticos de liberación me rodearás.

Salmo 32:7

Se acercan días finales y decisivos para este pueblo. A Israel le restan días muy amargos aún por vivir. Esto le vendrá por causa del pacto con el anticristo. El profeta Isaías dice hablando del pueblo de Israel:

Pacto tenemos hecho con la muerte, e hicimos convenio con el Seol.

Isaías 28:15

Esto se refiere al pacto que hará el pueblo de Israel con el anticristo. Pero nosotros somos ministros de un Nuevo Pacto a través de Jesucristo. Pacto sellado con la Sangre de Cristo.

Y el Dios de paz que resucitó de los muertos a nuestro Señor Jesucristo, el gran pastor de las ovejas, por la sangre del pacto eterno.

Hechos 13:20

El cual asimismo nos hizo ministros competentes de un nuevo pacto, no de la letra sino del Espíritu.

Colosenses 3:6

LA VISION

El capítulo 37 de Ezequiel comienza con una significativa visión. Cuando Ezequiel miró, el valle estaba lleno de huesos. El Señor le hizo pasar cerca de los huesos y pudo observar, en primer lugar que eran muchos en extremo, y en segundo lugar que estaban secos en gran manera:

> *La mano de Jehová vino sobre mí y me llevó en el Espíritu de Jehová, y me puso en medio de un valle que estaba lleno de huesos, y me hizo pasar cerca de ellos por todo en derredor; y he aquí que eran muchísimos sobre la faz del campo, y por cierto secos en gran manera.*
>
> Ezequiel 37:1-2

¿Qué era aquello? Ciertamente que eran huesos secos y en gran cantidad. A pesar de su aspecto no era tan importante verlos materialmente muertos, sino su condición espiritual. Era un ejército de muertos espirituales. No tenían vida, estaban lejos de Dios. La Biblia dice en Romanos 6:23:

Porque la paga del pecado es muerte, mas la dádiva de Dios es vida eterna en Cristo Jesús, Señor nuestro.

Conocemos lo que es muerte espiritual, Israel murió espiritualmente cuando se contaminó con los ídolos de los pueblos paganos. Si usted está en pecado, está como un hueso seco delante de Dios. Usted es incapaz de dar fruto, porque no tiene vida.

Ahora, ¿quiénes eran estos huesos secos? La Biblia muestra que era la casa de Israel. El pueblo de Israel no es cualquier nación. Entienda que la condición de Israel, también puede ser la suya. Es el pueblo de Dios del Antiguo Testamento. Fue un Pueblo elegido literalmente por Dios de entre las naciones. El Señor lleva a Ezequiel, a este campo de dolor, para que viera estos huesos secos, que simbolizaban la casa de Israel y su condición desesperante. Esta situación es análoga a lo que sufrirán los creyentes, si se contaminan con el mundo. Entienda que cuando el creyente se llena de vanidad y se descuida en las cosas del Señor, dejando de orar, ayunar y buscar a Dios se pondrá seco como la casa de Israel. Recordemos que *"no somos del mundo"* (Juan 17:16; sino que *"somos la luz del mundo"*(Mateo 5:16).

Estamos en el mundo para alumbrar delante de los hombres:

Así alumbre vuestra luz delante de los hombres, para que vean vuestras buenas obras, y glorifiquen a vuestro Padre que está en los cielos.

Mateo 5:16

Pero sobre todo, tenemos la responsabilidad de una Gran Comisión:

Y les dijo: Id por todo el mundo y predicad el evangelio a toda criatura. El que creyere y fuere

> *bautizado, será salvo; mas el que no creyere, será condenado. Y estas señales seguirán a los que creen: En mi nombre echarán fuera demonios; hablarán nuevas lenguas; tomarán en las manos serpientes, y si bebieren cosa mortífera, no les hará daño; sobre los enfermos pondrán sus manos, y sanarán.*
>
> Marcos 16:15-18

Por eso hay evangélicos hoy día, que están más secos que la casa de Israel. Se han puesto indiferentes, tibios y mundanos. Ya no son carne sólida, ahora son huesos secos. Eran de Dios, pero ahora están del lado del enemigo. Pero si se tornan a Dios, Él oye al temeroso y al que hace Su voluntad, y también les dará vida en abundancia. Juan 10:10 dice: "*...yo he venido para que tengan vida, y para que la tengan en abundancia*". Afírmate cada día más en el camino de Dios:

> *Así dijo Jehová: Paraos en los caminos, y mirad, y preguntad por las sendas antiguas, cuál sea el buen camino, y andad por él, y hallaréis descanso para vuestra alma.*
>
> Jeremías 6:16

RESPUESTA DEL PROFETA

Luego el Señor pregunta al Profeta:

> *Hijo de hombre, ¿vivirán estos huesos? Y dije: Señor Jehová, tú lo sabes.*
>
> Ezequiel 37:3

Ezequiel no sabía si vivirían, pero sí conocía que Dios podía darle vida. Él sabía que las personas a las cuales pertenecieron estos huesos, podían volver a la vida, con tan solo una orden de Dios. Esto debe ser para nosotros una gran enseñanza; nuestra confianza debe estar siempre puesta en el Señor. Cuando no sepamos algo, preguntemos a Dios, y cuando no podamos hacer algo, seamos sinceros y digámosle a Dios: "Yo no puedo, pero Tú puedes, hazlo conforme sea Tu voluntad"; *"...pues la voluntad de Dios es nuestra santificación"* (1 Tesalonicences 4:3. Creemos ciertamente que Dios lo puede todo. *"Porque nada hay imposible para Dios"* (Lucas 1:37).

Si tenemos al Hijo, la sabiduría de Dios está disponible para todos nosotros:

> *Y si alguno de vosotros tiene falta de sabiduría, pídala a Dios, el cual da a todos abundantemente y sin reproche, y le será dada.*
>
> Santiago 1:5

Todo está disponible. Pablo dijo que cuando tenemos a Cristo, estamos completos. *"Y vosotros estáis completos en él, que es la cabeza de todo principado y potestad"* (Colosenses 2:10).

El Señor habla otra vez a Ezequiel y le dice:

> *Profetiza sobre estos huesos, y diles: huesos secos, oíd palabra de Jehová.*
>
> Ezequiel 37:4

¿Qué oportunidad tenían los huesos secos de volver a la vida? Sólo una, oír Palabra de Dios. Ahora, ¿qué palabra les predicó el profeta? Veamos Ezequiel 37:5-6:

> *Así ha dicho Jehová el Señor a estos huesos: He aquí, yo hago entrar espíritu en vosotros, y viviréis. Y pondré tendones sobre vosotros, y haré subir sobre vosotros carne, y os cubriré de piel, y pondré en vosotros espíritu, y viviréis; y sabréis que yo soy Jehová.*

Ciertamente que la Palabra de Dios es vida. Filipenses 2:16 dice: "*Asidos de la palabra de vida*". Además, Hebreos 4:12 dice: "*Porque la palabra de Dios es viva y eficaz*". Ezequiel habló palabra de Jehová a aquellos huesos secos, que es palabra de vida.

> *Él, de su voluntad, nos hizo nacer por la palabra de verdad, para que seamos primicias de sus criaturas.*
>
> Santiago. 1:18

Cuando Ezequiel habló Palabra de Dios a aquellos huesos, se oyó un tumulto terrible en aquel campo:

> *Profeticé, pues, como me fue mandado; y hubo un ruido mientras yo profetizaba, y he aquí un temblor; y los huesos se juntaron cada hueso con su hueso.*
>
> Ezequiel 37:7

Cada hueso se unía uno con otro sujeto con sus tendones. De pronto formaron esqueletos, y apareció sobre ellos nervios, carne, y se cubrieron de piel. Ya no parecían esqueletos, ahora su aspecto era el de personas con todas sus partes recuperadas:

> *Y miré, y he aquí tendones sobre ellos, y la carne subió, y la piel cubrió por encima de ellos; pero no había en ellos espíritu.*
>
> Ezequiel 37:8

Lo único, dice la Biblia, que no tenían era espíritu. La Palabra le dio cuerpo a esos huesos, pero faltaba el espíritu. Así está el pueblo de Israel hoy, en pie, mas no tiene la vida del Espíritu Santo.

UNA LECCIÓN OBJETIVA

Cada predicador aprenda esta lección; usted predique, pero predique con unción de Dios. Predique bajo la bendición y guianza del Espíritu Santo. La predicación de la Palabra de Dios no es asunto de cultura, es asunto del Espíritu de Dios, que mientras usted la predica, el Espíritu se mueve como un viento soplando sobre todo el pueblo. Mientras la Palabra sale, el Espíritu entra e imparte vida, unción y liberación.

Ministre al pueblo conforme a cada necesidad. Usted puede predicar La Palabra por años, y si falta la unción del Espíritu de Dios, los huesos no se cubrirán de carne, los ojos se quedarán ciegos, el mudo no hablará, el cojo no andará, no habrá Espíritu de Vida en ellos.

Cuando Ezequiel vio esa multitud, dice que ya no eran esqueletos, ahora tenían cuerpo, nervios, carne y piel. Pero no se movían, estaban muertos espiritualmente. Mas Dios le dijo a Ezequiel:

> *Profetiza al espíritu, profetiza, hijo de hombre, y di al espíritu: Así ha dicho Jehová el Señor: Espíritu, ven de los cuatro vientos, y sopla sobre estos muertos, y vivirán.*
>
> Ezequiel 37:9

Ezequiel obedeció sin titubear. No le preguntó a Dios por qué:

> *Y profeticé como me había mandado, y entró espíritu en ellos, y vivieron, y estuvieron sobre sus pies; un ejército grande en extremo.*
>
> Ezequiel 37:10

Ese es el secreto, si Dios te manda a hacer algo, hazlo sin titubear; no le preguntes a nadie. Él es el Jefe. Ezequiel llamó al Espíritu, "ven de los cuatro vientos y sopla sobre estos muertos, y vivirán". De pronto comenzaron a levantarse y cobraron vida, y estuvieron sobre sus pies. Era un ejército grandísimo. En aquella visión maravillosa Dios le muestra a Ezequiel, la caída y restauración del pueblo de Israel.

ANÁLOGO A PENTECOSTÉS

Pentecostés tiene una enseñanza similar al de esta visión. En esta ocasión un grupo de personas que ya tenían carne y nervios, están esperando recibir la llenura del Espíritu. Se sentían vacíos, sin vida, les faltaba algo para tener vida en plenitud. Todos estaban reunidos, y unánimes esperando el bautismo en el Espíritu Santo. La Palabra de Dios que se les había hablado, les había dado carne y vida, pero faltaba la vida del Espíritu. En el día de Pentecostés, descendió como una tempestad. Cuando aquel viento recio descendió sobre ellos fueron llenos del Espíritu Santo. Entonces Pedro se levantó y predicó la Palabra, su primer mensaje y como 3,000 personas se convirtieron a Jesucristo.

Cuando aquella multitud cobró vida, y se puso en pie, era un ejército grande en extremo. Entonces, el Señor le dijo a Ezequiel:

> *Hijo de hombre, todos esos huesos son la casa de Israel. He aquí, ellos dicen: Nuestros huesos se secaron, y pereció nuestra esperanza, y somos del todo destruidos.*
>
> Ezequiel 37:11

Muchos evangélicos están como Israel. La idolatría y la mundanalidad llevaron a Israel a la indiferencia con Dios. Hoy multitud de evangélicos están mundanos e idólatras como lo estuvo Israel. No sólo porque puedan tener ídolos, porque aunque no los tengan, si son codiciosos, también son idólatras. La Biblia dice que la codicia es idolatría. Colosenses 3:5 dice: "... *malos deseos y avaricia, que es idolatría*". Los deseos de la carne le gobiernan (Gálatas 5:17-21).

Esto es idolatría igual que si tuvieran ídolos. Israel murió espiritualmente por codicioso, idólatra, indiferente, terco y rebelde. Pero Dios dijo: "Voy a traerles vida, voy a soplar sobre ellos y los voy a restaurar otra vez".

> *Y pondré mi Espíritu en vosotros, y viviréis, y os haré reposar sobre vuestra tierra; y sabréis que yo Jehová hablé, y lo hice, dice Jehová.*
>
> Ezequiel 37:14

El Señor le dijo más a Ezequiel, le dijo:

> *He aquí, yo tomo a los hijos de Israel de entre las naciones a las cuales fueron, y los recogeré de todas partes, y los traeré a su tierra.*
>
> Ezequiel 37:1

Los saqué de los diferentes lugares y los haré subir a las montañas de Israel. Ya no serán dos naciones, serán un solo pueblo:

> *Y los haré una nación en la guerra en los montes de Israel, y un rey será a todos ellos por rey; y nunca más serán dos naciones, ni nunca más serán divididos en dos reinos.*
>
> Ezequiel 37:22

¿POR QUÉ SE DIVIDIÓ ISRAEL?

Cuando murió Salomón, Israel se dividió en dos reinos. Dejaron de ser una sola nación como antes, y ahora se componía de dos reinos: Israel y Judá. ¿Cómo se las arregló el diablo para hacerlo? La obra más trágica que hace el diablo es dividir al pueblo de Dios. Israel fue engañado por el enemigo, y fue dividido en dos reinos. Entiendan todos los cristianos, evangélicos, pentecostales, pastores, evangelistas y líderes conciliares; el llamado a la Iglesia hoy es a la unidad. Cristo lo dijo:

> *Para que todos sean uno; como tú, oh Padre, en mí, y yo en ti, que también ellos sean uno en nosotros; para que el mundo crea que tú me enviaste.*
>
> Juan 17:21

No quiero decir que no haya organizaciones, superintendentes, y líderes, sino que seamos uno, no divididos en contiendas, sino uno en el amor de Dios. Buscándonos los unos a los otros, amándonos y perdonándonos como ha ordenado el Dios del cielo.

Israel era poderoso, pero cuando se dividió en dos naciones, se debilitó; peleaban entre ellos. Ahora, el problema no era con los filisteos, ahora el problema era Israel contra Judá; o sea hermano contra hermano.

Pero los que son de Cristo han crucificado la carne con sus pasiones y deseos. Si vivimos por el Espíritu, andemos también por el Espíritu. No nos hagamos vanagloriosos, irritándonos unos a otros, envidiándonos unos a otros.

Gálatas 5 :24-26

Hermanos, tomemos autoridad sobre toda obra del enemigo de las almas y los frutos de la carne, vamos a amarnos unos a otros. El hermano que no puede perdonar a su hermano está perdido.

Todo aquel que aborrece a su hermano es homicida; y sabéis que ningún homicida tiene vida eterna permanente en él.

1 Juan 3:15

El siervo del Señor, sea pastor o evangelista, si está enojado con el hermano está perdido. Reconcíliese, humíllese; Cristo es más grande que todos nosotros y se humilló, dio el ejemplo.

Así que, amados, puesto que tenemos tales promesas, limpiémonos de toda contaminación de carne y de espíritu, perfeccionando la santidad en el temor de Dios.

2 Corintios 7:1

Vamos a buscar al hermano y a saludarlo con amor fraternal; a decirle: "Hermanito, somos carne de una sola carne, sangre de una misma sangre, amor de un solo amor, el del Padre". Vamos a unirnos. No somos el Israel dividido, somos la Iglesia de Jesucristo. Tiene que estar unido entre sí el cuerpo del Hijo de Dios. Un cuerpo unido rompe el yugo del diablo dondequiera que vaya.

Pues aunque andamos en la carne, no militamos según la carne; porque las armas de nuestra milicia no son carnales, sino poderosas en Dios para la destrucción de fortalezas, derribando argumentos y toda altivez que se levanta contra el conocimiento de Dios, y llevando cautivo todo pensamiento a la obediencia a Cristo.

2 Corintios 10:3-6

¿Por qué esta victoria? Por la unidad de este grupo de hermanos. Ahora el mismo Cristo clama diciendo:

Para que todos sean uno; como tú, oh Padre, en mí, y yo en ti, que también ellos sean uno en nosotros; para que el mundo crea que tú me enviaste.

Juan 17:21

Fíjese en el punto importante: Serían uno, o sea, enfatiza la unidad. Nosotros tenemos que clamar por eso. Cada pastor debe orar profundamente por la unidad de sus ovejas. Cada concilio por la unidad de sus pastores. Es responsabilidad nuestra ser uno en Cristo. Hay que vivir la Palabra. Cada persona es responsable de hacerlo. Debemos santificarnos en la verdad y la verdad es la Palabra. Para dar un testimonio limpio delante del mundo debemos ser perfectos en unidad. Soportándonos unos a otros con paciencia y en amor. *"Solícitos en guardar la unidad del Espíritu en el vínculo de la paz"* (Efesios 4:3).

De regreso a Israel Dios le dijo a Ezequiel:

> *He aquí, yo tomo a los hijos de Israel de entre las naciones a las cuales fueron, y recogeré de todas partes, y los traeré a su tierra y los haré una nación en la tierra en los montes de Israel, y un rey será a todos ellos por rey; y nunca más serán dos naciones, ni nunca más será divididos en dos reinos. Mi siervo David será rey sobre ellos, todos ellos tendrán un solo pastor; y andarán en mis preceptos y mis estatutos guardarán, y los pondrán por obra.*
>
> Ezequiel 37:21, 24

Parte de esta profecía es cumplida ya. Lo habló Ezequiel hace miles de años y se cumplió. Los sacó de todas las tierras, de tantos lugares y los trajo a las montañas de Israel. Allí están, son un solo pueblo; la República de Israel.

MORADA EN ISRAEL

Dijo además Dios, *"Los purificaré y pondré mi morada en medio de ellos"*. Ahora, fíjese bien en la promesa; Él vendrá cuando Israel regresara y estableciera su morada en medio de este pueblo. Lo más importante de esto es que establece una morada en medio de ellos. Quiere decir que Israel fue traído, fue puesto en la Tierra de Palestina donde estaba antes. Son una sola nación. Ahora falta lo que el Señor dijo:

> *Y pondré mi morada en medio de vosotros, y mi alma no os abominará; y andaré entre vosotros, y yo seré vuestro Dios, y vosotros seréis mi pueblo.*
>
> Levítico 26:11-12

Hay algo muy importante que cada creyente debe saber, es cierto que el Señor dijo que viene a establecer morada en Israel, pero el profeta Zacarías, en el capítulo 14:5 dijo: *"...y con él todos los santos "*. ¿Qué significa esto? Él va a establecer morada como le dijo a Ezequiel, pero con Él viene un pueblo santo.

La Biblia dice que el Señor viene a poner Su santuario; Su morada en medio del pueblo de Israel que está aquí esperando. No viene solo, dice Zacarías que Sus santos vienen con Él. Los creyentes del Evangelio, los que son lavados en la Sangre y estén llenos del Espíritu Santo vienen a vivir con Él y a establecer ese reino en el pueblo de Israel. Eso nos muestra que antes de que Él venga a establecer Su morada en Israel, tiene que llevarnos a nosotros para el cielo, Él tiene que unirse con nosotros allá arriba para luego bajar a reinar con Israel.

Por la Palabra sabemos que Israel está como un solo pueblo y eso implica que nos vamos pronto para el cielo.

Mateo 19:30 dice: *"Pero muchos primeros serán postreros, y postreros, primeros"*. Eso, ¿por qué, si ellos estaban primero? Porque los primeros fueron hijos desobedientes. Fueron hijos indiferentes, rebeldes, tercos y malagradecidos. Por eso, siendo primeros serán postreros.

Asimismo le pasará a la Iglesia de Jesucristo. Algunos que llevan años de convertidos se han descuidado, y cuando suene la Trompeta no se van con Cristo. Otros que han sido hasta siervos de Dios por mucho tiempo, cuando suene la trompeta no se van; son como Israel, indiferentes. Están cansados; no luchan, no buscan. Esto es una batalla constante donde no está permitido el cansancio. Nuestra fortaleza viene de Jehová. Caleb a los ochenta años estaba como a los cuarenta:

> *Ahora bien, Jehová me ha hecho vivir como él dijo, estos cuarenta y cinco años, desde el tiempo que Jehová habló estas palabras a Moisés cuando Israel andaba por el desierto; y ahora, he aquí, hoy soy de edad de ochenta y cinco años. Todavía estoy tan fuerte como el día que Moisés me envió; cual era mi fuerza entonces, tal es ahora mi fuerza para la guerra, y para salir y para entrar.*
>
> Josué 14:10-11

Moisés, a los ciento veinte años, sus ojos aún no se habían opacado. Se fue al monte y allí durmió en los brazos de Dios.

> *Era Moisés de edad de ciento veinte años cuando murió; sus ojos nunca se oscurecieron, ni perdió su vigor.*
>
> Deuteronomio 34:7

Eran hombres que vivían para Dios. Es llamado a llevar la Palabra a todos los lugares. Es el llamado desesperado, pero tristemente muchos están entusiasmados con los estudios, trabajos, deportes, y otras actividades sociales, que no pueden aceptarlo. Proverbios 23:4 nos advierte: *"No te afanes por hacerte rico; sé prudente y desiste"*. (Ver además Mateo 6:25-34).

Despierte, usted está muerto espiritualmente, semejante a los huesos en la llanura donde estuvo el pueblo de Israel. Pero como muchos están indiferentes y llenos de mundanalidad, y medios muertos, pasarán por la Gran Tribulación. En cambio, muchos postreros que vienen a las campañas y se llenan del Espíritu Santo, serán primeros en la gloriosa partida hacia el cielo. Se repetirá la historia de Israel; que fue primero, pero será último. Algunos evangélicos que fueron primero serán postreros también, porque tienen el mismo espíritu que tenía Israel, un espíritu terco. El verdadero israelita; el verdadero creyente tiene un espíritu de obediencia, de mansedumbre, de hambre y sed de Dios. Se mueve en el espíritu, en el poder de Dios.

Despiértese para que sea primero, y mírese en el espejo de Israel. Avance, que se le hace tarde. Jesús le llama desesperadamente, para que los que una vez le sirvieron no se queden. Así que llénese del Espíritu Santo. Hay que estar en el primer amor. Pronto Jesús desciende a establecer Su morada con Israel. Los llenos del Espíritu vendrán con El. Quiere decir, que antes de descender tiene que decir desde arriba: "SUBE ACÁ, PUEBLO MIO". Los que estén llenos del Espíritu oirán ese clamor, y se elevarán. Los que estén sordos espiritualmente y vacíos de Dios, no se irán.

Vuelva otra vez a ayunar, a leer la Biblia, a gemir e interceder en llanto. ¡Vuelva a las primeras obras! Acuérdese que Dios da vida a los huesos secos; sopla Espíritu de Vida. Sus huesos secos volverán a recibir nervios, carne, piel y tendrá vida de nuevo. No será de los postreros, sino de los primeros que volarán para arriba; primicias del pueblo de Dios que se va.

Estos serán los frutos maduros que pronto verán el reino de los cielos, y bajarán luego a morar con Jesucristo aquí en la tierra. Él llama desesperado, apurado porque el tiempo se ha terminado:

Pero el día y la hora nadie lo sabe, ni aun los ángeles de los cielos, sino sólo mi Padre.

Mateo 24:36

También el libro de Ezequiel nos dice:

El sonido de la trompeta oyó, y no se apercibió; su sangre será sobre él; mas el que se apercibiere librará su vida.

Ezequiel 33:5

Epílogo

La condición y la experiencia del pueblo de Israel también puede ser la suya. Dios nos ha llamado, nos ha redimido por medio de Su sacrificio en la cruz; nos ha hecho nueva criatura y espera de nosotros fidelidad hasta el fin:

> *Y seréis aborrecidos por todos por causa de mi nombre; mas el que persevere hasta el fin, éste será salvo.*
>
> Marcos 13:13

En otro aspecto, el hombre que vive alejado de Dios, o conforme a su religión, vive sin esperanza, sin fe y sin la salvación del alma. Ciertamente su condición es similar a la del pueblo de Israel, presentada por Dios a Ezequiel en el Valle de los Huesos Secos. Pero Dios envió a Su Hijo para darle vida a los muertos . Jesús dijo:

Yo soy la resurrección y la vida; el que cree en mí, aunque esté muerto, vivirá.

Juan 11:25

Esta visión identifica el pueblo de Israel con su desánimo, frustración, condición espiritual y física. Ahora, la experiencia de Israel también puede ser la nuestra. No nos descuidemos, el tiempo es final y decisivo.

He aquí, yo estoy a la puerta y llamo; si alguno oye mi voz y abre la puerta, entraré a él, y cenaré con él, y él conmigo.

Apocalipsis 3:20

Pronto sonará la trompeta, *"...y los muertos en Cristo resucitarán primero. Luego los que vivimos, los que hayamos quedado, seremos arrebatados juntamente con ellos en las nubes para recibir al Señor..."* (1 Tesalonicenses. 4:16-17). No imitemos al pueblo de Israel, oremos por él, para que una gran multitud, pueda venir al conocimiento de la Verdad antes del Rapto de la Iglesia. Levantemos nuestras cabezas, enfrentemos con fe la gran verdad de que Cristo viene ya. En Lucas 21:28 dice:

Erguíos y levantad vuestra cabeza, porque vuestra redención está cerca.

PASOS A SEGUIR PARA SER SALVO

1. Recibe a Cristo como tu Salvador *(Juan 1:12).*
2. Ven a Él arrepentido y confiésale tus pecados *(1 de Juan 2:1 y Hechos 3:19).*
3. Pídele perdón por tus pecados *(1 Juan 4:10).*
4. Prométele que te vas a apartar del pecado y pídele su ayuda *(2 Timoteo 2:19).*
5. Ora diariamente a Él por tu salvación y por tu prójimo *(Lucas 21:36).*
6. Lee la Biblia diariamente *(Juan 5:39).*
7. Únete a una Iglesia donde puedas recibir el bautismo del Espíritu Santo y los Sacramentos instituidos por Cristo *(Hechos 2:3-4; 2:38; Marcos 16:16; Mateo 26:26-28).*

LOS DIEZ MANDAMIENTOS

Éxodo 20:3-17

1. No tendrás dioses ajenos delante de mí.

2. No te harás imagen, ni ninguna semejanza de lo que esté arriba en el cielo, ni abajo en la tierra, ni en las aguas debajo de la tierra. No te inclinarás a ellas, ni las honrarás, porque yo soy Jehová tu Dios, fuerte, celoso.
3. No tomarás el nombre de Jehová tu Dios en vano.
4. Seis días trabajarás, y harás toda tu obra; mas el séptimo día es reposo para Jehová tu Dios.
5. Honra a tu padre y a tu madre, para que tus días se alarguen en la tierra.
6. No matarás.
7. No cometerás adulterio.
8. No hurtarás.
9. No hablarás contra tu prójimo falso testimonio.
10. No codiciarás la casa de tu prójimo, no codiciarás la mujer de tu prójimo, ni su siervo, ni su criada, ni su buey, ni su asno, ni cosa alguna de tu prójimo.

TEMAS IMPORTANTES PARA ESTUDIAR EN LA BIBLIA

1

SÓLO CRISTO SALVA

1 Timoteo 1:15 Único Salvador

Hechos 4:12 Un solo Salvador

Mateo 28:18 Un solo Poder

1 Timoteo 2:5 Único Mediador

Romanos 8:34 Único Intercesor

Hebreos 7:25 Único Intercesor

Juan 14:6 Un solo Camino

Juan 6:35 Él es el Pan de la Vida

Efesios 2:18 Un solo Camino

1 Corintios 8:6 Un solo Dios y Señor

Judas 4 Único Soberano

Juan 8:36 Único Libertador

Juan 1:12 Por Él somos hijos

1 Juan 2:1 Único Abogado

1 Corintios 2:2 Lo Único a saber

1 Corintios 3:11 Único Fundamento

Juan 3:16 Por Él no nos perdemos

Colosenses 3:11 Él es el Todo

Colosenses 3:17 Hacerlo todo en su Nombre

Hebreos 4:14 Nuestro Único Sacerdote

FUERA DE CRISTO NO HAY VIDA ETERNA

2

SALVACIÓN

Hechos 2:37 Arrepentíos y Bautizaos

Marcos 16:15 Por el Evangelio

Hechos 3:19 Arrepentíos y Convertíos

Lucas 2:8 Hacer profesión de fe pública

Mateo 10:32 Hacer profesión de fe pública

1 Timoteo 6:12 Hacer profesión de fe pública

Hechos 11:21 Convertíos a Cristo

Mateo 10:22 Perseverar hasta el fin

Juan 3:3-8 Nacer de Nuevo

Juan 5:39 Leer la Biblia

Gálatas 2:16 Por fe en Cristo

Efesios 2:8-9 Por fe, no por obras

Romanos 8:13 Vivir por el Espíritu

Lucas 21:36 Orar en todo tiempo

1 Juan 3:6 Permanecer en Cristo

Juan 14:21 Guardar sus mandamientos

Juan 15:2 Trabajar para Cristo

Lucas 13:3-5 Arrepentirse y convertirse o se mueren

ARREPIÉNTETE Y VIVE PARA CR*ISTO*
NADIE MÁS PUEDE SALVARTE

3

SANTIDAD

DIOS NOS HA LLAMADO A SANTIDAD

1 Pedro 1:16 Sed Santos

1 Tesalonicenses 4:7 Exige santidad

Hebreos 12:14 Sin ella no verán al Señor

Efesios 5:27 Santidad en la Iglesia

Mateo 5:48 Sed perfectos

Colosenses 3:2 Cosas de arriba

2 Timoteo 2:19 Apartarse de iniquidad

Jeremías 2:5 Apartaos de vanidad

Romanos 8:13 Hacer morir las obras de la carne

1 Juan 2:15 No améis al mundo

Santiago 4:4 No améis al mundo

1 Corintios 11:14-16 Apariencia

1 Timoteo 2:9 Forma de vestir

1 Pedro 3:3 Adornos

Isaías 3:18-24 Adornos

Deuteronomio 22:5 Mujer vestida de hombre

SEAMOS LIMPIOS POR DENTRO
Y POR FUERA

4

ADORAR Y CONFIAR SÓLO EN DIOS

Romanos 1:25 Al Creador y no a las criaturas

Romanos 3:4 Todo hombre mentiroso

Hechos 10:25-26 Pedro impide que lo adoren

Hechos 14:9-15 Pablo impide que lo adoren

Apocalipsis 22:9 Ángel impide adoración

Jeremías 17:5-7 Maldito el que confía en hombres

Isaías 42:8 Dios no comparte su gloria

Lucas 4:8 Adorar sólo a Dios

Salmo 118:8 Confiar en Dios, no en el hombre

Salmo 146:3 No confiar en hombres

Isaías 2:22 No confiar en hombres

Isaías 43:11 Sólo Dios salva

Mateo 6:6 Orar sólo a Dios (no a María, ni a muertos)

HAZ DE DIOS TU REFUGIO

5

SEÑALES DE QUE ERES UN CREYENTE

Marcos 16:15 Señales que nos dejó Cristo

Juan 14:12 Tienes poder de Dios

Gálatas 5:22 Los frutos del Espíritu

1 Corintios 12:7-11 Dones del Espíritu

2 Corintios 2:14-17 Si trabajas para Cristo

Romanos 8:14-16 Espíritu da testimonio

2 Corintios 5:15 Vives para Cristo

2 Corintios 5:17 Eres nueva criatura

Gálatas 6:8 Si rechazas los deseos de la carne

Gálatas 5:24 Han crucificado la carne con sus deseos

¿ERES TÚ UN CREYENTE?

6

IMÁGENES

Hechos 17:29 No tienen divinidad

Hechos 19:26 No tienen divinidad

Romanos 1:22-25 Es una necedad

Colosenses 2:20-23 Ni las toques

Éxodo 20:1-7 Los diez mandamientos

Deuteronomio 5:7-21 Los diez mandamientos

Isaías 44:9 Serán avergonzados

Deuteronomio 27:15 Dios las maldijo

Deuteronomio 4:15-16 Están corrompidas

1 Corintios 12:2 Ídolos mudos

Salmo 115:3-8 Como ellas te pondrás

NO LAS HAGAS NI LAS TENGAS ES IDOLATRÍA

7

ESPÍRITU SANTO

Juan 14:16-23 Él lo prometió

Juan 14:26 Nos lo enseñará todo

Hechos 1:8 Nos dará el poder

Hechos 2:3 Bautismo de Pentecostés

Hechos 2:33 Al recibirlo se ve y oye

Hechos 8:14-18 Se ve al recibirlo

Hechos 10:44-46 Señal de que lo has recibido

Hechos 19:2-6 Señal de las lenguas

Juan 7:37-39 Se siente al recibirlo

Juan 20:22 Jesús ordenó recibirlo

Efesios 5:18 Sed llenos de Él

Hechos 13:52 Sed llenos de Él

Hechos 11:15-16 Tenemos que recibirlo

TODOS DEBEMOS RECIBIRLO

8

EL BAUTISMO EN AGUA

Mateo 28:19 Mandato de Cristo

Marcos 16:16 Sacramento de vida

Hechos 2:38 Para perdón de pecados

Hechos 19:3-5 Hay que recibirlo

Hechos 8:35-38 Después de creer

Hechos 16:31-33 Después de aceptar a Cristo

Romanos 6:2-4 Sepultado en las aguas

Colosenses 2:12 Sepultado en las aguas

NO ES PARA NIÑOS, NI PARA PECADORES SIN ARREPENTIMIENTO

9

LA SANIDAD DIVINA

Éxodo 15:26 Dios es el Sanador

1 Pedro 2:24 Por Sus llagas fuimos sanados

Salmo 103:3 Sana todas tus dolencias

Santiago 5:14 El Señor los levantará por la oración

Mateo 8:17 Él llevó nuestras dolencias

Marcos 6:18 Los creyentes lo harán

Juan 14:14 Pedirlo en Su Nombre

Lucas 9:2 Cristo lo ordenó

Lucas 10:9 Cristo lo ordenó

3 Juan 1:2 Él desea que estés sano

1 Corintios 6:20 Glorifica a Dios en tu cuerpo

Hechos 10:38 Toda dolencia es del diablo

LA ORACIÓN DE FE SANA AL ENFERMO

10

ESPIRITISMO

Levíticos 19:31 No lo consultéis

Levíticos 20:6 Serán extirpados

Levíticos 20:27 Su sangre caerá sobre ellos

Deuteronomio 18:10-12 Es abominable

1 Crónicas 10:13-14 Por eso murió Saúl

Eclesiastés 9:4-5 Los muertos nada saben

Isaías 8:19-22 Serán sumidos en las tinieblas

Hechos 16:16:19 Son demonios que adivinan

ES OBRA DEL DIABLO

11

VENIDA DE CRISTO

Siete es el número profético que indica la totalidad en la obra de Dios. En siete días creó Dios el mundo. Seis días trabajó y en el séptimo descansó (2 Pedro 3:8). Han pasado casi 6,000 años de la creación del mundo. El próximo milenio, entramos en Su Reposo y Cristo estará reinando en la tierra con sus escogidos. Lee sobre estos eventos maravillosos próximos a ocurrir.

1 Corintios 15:51 El Rapto

1 Tesalonicenses 4:16 El Rapto

1 Corintios 15:22-23 Raptados por su orden

Apocalipsis 3:8-10 Los primeros rescatados

Apocalipsis 14:4 Los primeros rescatados

Apocalipsis 6:1-9 La gran tribulación

Marcos 13:24 Los últimos rescatados

Apocalipsis 7:9-14 Los últimos rescatados

Apocalipsis 8:9 y 11 Los juicios de Dios

Apocalipsis 20:4-5 El Milenio

TODO ESTÁ CUMPLIDO, CRISTO VIENE PRONTO

12

LA IGLESIA

Mateo 16:18 Cristo la instituyó

Romanos 16:16 Es de Él

Efesios 5:23 Es su Cuerpo

Colosenses 1:24 Es su Cuerpo

Efesios 1:22-23 Es su Cuerpo

Colosenses 1:18 Cristo es su cabeza

Hebreos 2:8 Todo sujeto a Él

Colosenses 2:8-10 Él es la cabeza

Hechos 4:11 Cristo es la piedra

Efesios 2:20-21 Cristo es la piedra

Romanos 9:33 Cristo es la piedra

1 Corintios 10:4 Cristo es la piedra

1 Pedro 2:4-8 Cristo es la piedra

Lucas 20:17 Cristo es la piedra

2 Samuel 22:2-3 Una sola roca

Efesios 5:27 Sin mancha ni arruga

Mateo 18:19-20 Cualquier congregación en Su Nombre

LA IGLESIA UNIVERSAL ES
EL CUERPO DE CRISTO

13

IMPORTANCIA DE LA BIBLIA

Juan 5:39 Hay que estudiarla

Hechos 17:11 Para saber la verdad

Lucas 22:36 Esa espada es la Palabra

2 Timoteo 3:14-17 Desde la niñez

2 Pedro 3:18 Crecer en su conocimiento

Romanos 15:4 Para nuestra consolación

2 Corintios 4:2 No adulterarla

1 Corintios 4:6 No ir más allá de ella

Apocalipsis 22:18 No adulterarla

Deuteronomio 4:2 No alterarla

Proverbios 30:6 No alterarla

Eclesiastés 3:14 No alterarla

Lucas 24:32-45 Él nos hace entenderla

1 Corintios 15:3-4 Todo conforme a ella

Juan 14:26 Él te enseña todo

Marcos 12:24 Por no conocerla

Marcos 7:5-9 La Biblia, no la tradición

DEBES LEERLA DIARIAMENTE

14

PECADOS Y SU PERDÓN

Romanos 6:23 Su paga es muerte

1 Juan 3:8 El que peca es del diablo

Hechos 10:43 Perdonados por Cristo

Salmo 103:3 Sólo Él puede perdonar

Hechos 13:38 Perdonados por Cristo

Romanos 3:25 Por Su Sangre

Colosenses 1:13-14 Por Su Sangre

1 Juan 4:10 Sólo en Cristo

Hebreos 9:28 Cristo los llevó

Mateo 26:28 Por Su Sangre

Hebreos 9:22 Sin derramamiento de Sangre no hay perdón

1 Juan 5:16 Orad por ellos

Hebreos 4:16 Orad sólo a Dios

Hebreos 10:11-12 El sacerdote no puede perdonarlos: Cristo sí.

Marcos 11:25 Sólo Dios puede

Marcos 2:7 Sólo Dios puede

Ezequiel 18:32 Si te conviertes

Salmo 130:4 Sólo en el Señor

Efesios 2:2 El diablo los hace pecar

SÓLO LA SANGRE DE CRISTO QUITA EL PECADO

15

TENEMOS UN ALMA

Job 32:8 Hay un espíritu en el hombre

Zacarías 12:1 El hombre tiene un espíritu dentro de sí

Mateo 10:28 Tenemos cuerpo y alma

1 Corintios 2:11 El espíritu del hombre está en él

1 Tesalonicenses 5:23 Tenemos alma, espíritu y cuerpo

Génesis 1:26 Dios nos hizo a Su semejanza. Tenemos una triple personalidad al igual que Él.

Hebreos 4:12 Tenemos alma y espíritu

Mateo 16:26 Es lo más importante

El alma y el espíritu forman nuestra personalidad espiritual que está dentro del cuerpo de carne. En la muerte se sale del cuerpo y pasa a la eternidad. Al paraíso o al infierno.

¿HACIA DÓNDE VAS TÚ?
SÓLO CRISTO SALVA
ENTRÉGATE A CRISTO Y SÁLVATE AHORA

16

LA MUERTE

Eclesiastés 12:7 El cuerpo vuelve al polvo y el espíritu a Dios

Santiago 2:26 El espíritu se aparta del cuerpo

1 Reyes 17:20-22 El alma sale del cuerpo

2 Corintios 5:8 Dejamos de vivir en el cuerpo

Filipenses 1:23 Si muere en Cristo se va con el Señor

Lucas 16:22 Si muere salvo los ángeles guían nuestra alma al paraíso

Lucas 16:23 Si muere condenado va al infierno

Apocalipsis 6:9-11 Los redimidos en el cielo hablan y los visten de blanco

Marcos 16:16 Unos mueren salvos y otros condenados

Apocalipsis 20:13 Los muertos en el infierno no salen hasta el juicio final. (Hades)

Apocalipsis 20:15 Los muertos que no están en el Libro de la Vida *pasan al lago de fuego y azufre por la eternidad. (Gehena)*

EN LA MUERTE SALES DEL CUERPO CON

SALVACIÓN O EN CONDENACIÓN

17

EL SÁBADO

Colosenses 2:16 Que nadie os juzgue por sábados

Gálatas 5:18 Los dirigidos por el Espíritu no están bajo la ley

Romanos 8:14 Los dirigidos por el Espíritu Santo, los tales son los hijos de Dios

Gálatas 2:21 Porque si por la ley se alcanza la justicia, entonces Cristo murió en vano

Mateo 12:5-8 Los sacerdotes en el templo no tenían que guardarlo. Mucho menos en Cristo que es la Iglesia

Marcos 2:27-28 Cristo es el Señor del sábado

Juan 5:18 Jesús no observaba el sábado

Juan 9:16 Jesús no observaba el sábado

Romanos 3:28 Somos justificados por la fe sin las obras de la ley

LA COMUNIÓN CONTINUA CON CRISTO ES EL DESCANSO DEL NUEVO TESTAMENTO

18

AYUNO

Jueces 20:26 Israel ayunó delante de Dios todo el día

1 Samuel 7:6 Israel ayunó y confesó su pecado delante de Dios

2 Samuel 12:16 David ayunó 7 días

Nehemías 9:1 Se reunían para ayunar

Jeremías 36:9 Promulgaron ayuno en presencia de Dios

Salmo 35:13 David ayunaba y oraba

Isaías 58:6 El ayuno es para desatar y romper los yugos del diablo

Mateo 6:16 Hay ayuno privado

Joel 2:15 Hay ayuno en asamblea

Mateo 9:15 Jesús estableció que sus discípulos ayunarían

Lucas 21:34 Cuidarnos de la glotonería

Marcos 9:29 Hay demonios que no salen si no es con ayuno y oración

Hechos 9:9 Pablo ayunó 3 días y fue lleno del Espíritu Santo

Mateo 4:1 Cristo ayunó 40 días y 40 noches

ES UN PRECEPTO DEL NUEVO TESTAMENTO PARA LOS CRISTIANOS

19

EL INFIERNO

Apocalipsis 20:13-14 Dará sus muertos para el Juicio Final

Apocalipsis 21:8 Los pecadores tendrán su herencia eterna en él (lago de fuego - Gehena)

Mateo 5:22 Para todo el que aborrece su prójimo

Mateo 8:12 Es una tiniebla para los desobedientes

Lucas 12:5 Teme a Dios que puede destruir tu alma en el infierno

Mateo 13:42 Todos los pecadores irán ahí

Mateo 18:8-9 Quita de tu vida todo lo que te pueda enviar al infierno

Mateo 22:13 Lugar de llanto y crujir de dientes

Mateo 24:51 Lugar para los hipócritas

Mateo 25:30 Lugar para los que no llevan fruto

Mateo 25:41 Estarán con el diablo y sus ángeles (Gehena)

Lucas 16:24 Es lugar de tormento y de sed

Salmo 9:17 Los malos irán ahí

Job 38:19 Hay un lugar de luz y uno de tinieblas. ¿Hacía cuál vas tú?

Proverbios 15:24 El lugar de salvación está hacía arriba y el de condenación hacia abajo

AHÍ VAN TODOS LOS QUE MUEREN EN PECADO

LOS QUE DICEN QUE NO HAY INFIERNO SON MENTIROSOS

LOS CREYENTES DE CRISTO SERÁN LEVANTADOS DE LA TIERRA ANTES DE QUE LOS JUICIOS CAIGAN

I. TIPOS EN EL ANTIGUO TESTAMENTO

Génesis 5:24 Enoc fue levantado al cielo por Dios

Génesis 7:10 Vino el diluvio pero, ya Enoc había sido levantado al cielo

Lucas 17:26 Cristo dijo que como fue en los días de Noé sería en los días de Su venida

2 de Reyes 2:11 Elías subido al cielo-Tipo del Rapto

2 de Reyes 2:24 Juicio sobre los jóvenes burlones. 42 despedazados.

Tipo de la grande tribulación que durará 42 meses (Apocalipsis 13:5). Hubo un juicio terrible sobre los jóvenes, pero antes Elías fue raptado - Primero un Rapto y después el JUICIO.

Ahora están a punto de caer los juicios de Dios por causa de la maldad, pero antes habrá un Rapto y los creyentes que andan con Dios como Enoc serán levantados. Los indiferentes se quedarán.

II. NUEVO TESTAMENTO

Mateo 3:12 Él recogerá el trigo en su granero y luego quemará la paja en fuego. Primero recoge

Lucas 21:34-36 Viene de repente UN DÍA TERRIBLE como un lazo. Pero los que estén firmes ESCAPARÁN

Apocalipsis 3:10 Viene HORA DE PRUEBA para todo el mundo, pero CRISTO LIBRARÁ los que guardan Su Palabra

Juan 14:2-3 Cristo nos llevará con Él. En esa forma nos librará

Apocalipsis 16:13-16 Antes de que ocurra la Tercera Guerra Mundial el Señor como ladrón nos llevará: ¿Cuándo?

Daniel 7:24-27 Nos dice que los ÚLTIMOS 7 AÑOS de esta edad son para Dios tratar con Israel. ANTES SU IGLESIA VUELA AL CIELO.

Zacarías 14:5 Cristo desciende a terminar la 3ra. Guerra Mundial y sus santos vienen con Él. Antes de la guerra los levantó.

III. ¿QUÉ HACER?

1 Tesalonicenses 5:23 Santificaos plenamente

Jeremías 6:16 Andad por la senda antigua